신미선의
창작 동요집

신미선의 창작 동요집

발행 _ 2023년 12월 26일
저자 _ 신미선
편저 _ 조장원
디자인 _ enbergen3@gmail.com

펴낸이 _ 한건희
펴낸곳 _ 부크크
출판등록 _ 2014.07.15.(제2014-16호)
주소 _ 서울특별시 금천구 가산디지털1로 119 SK트윈타워 A동 305호
전화 _ 1670-8316
이메일 _ info@bookk.co.kr
홈페이지 _ www.bookk.co.kr
ISBN _ 979-11-410-6051-0

값은 표지에 있습니다.

Prologue

그동안 제가 음악을 지도하면서 만난 모든 아이들과,
앞으로 제 음악을 만날 모든 아이들을 위한 책이 되기를 바랍니다.

학교에서 선생님이 오르간 연주와 함께 동요를 불러주시면, 그 당시 어린이였던 저를 포함하여 함께 따라 부르던 아이들의 노랫소리가 교실을 가득 채웠었던 기억이 새록새록 떠오릅니다.

집에서는 어머니가 불러주시는 동요의 아름다운 노랫소리가 그토록 좋았었던, 그때의 순수했던 소중한 어린 시절의 마음을 담아 아이들에게 전달하려고 합니다.

아이들의 순수함을 닮은 동요는, 아이들과 가장 잘 어울리는 친구이자, 희망을 노래하는 음악일 것입니다.

저 역시도 동요를 들으며 자랐듯이 아이들에게 계속해서 아름다운 동요가 불려 질 수 있기를 바랍니다.

이 책이 나오기까지, 아이들에게 좋은 음악을 선물 하고자 하는 제 노력을 그 누구보다도 잘 알아주시고 진심 어린 격려로 절 이끌어주신 조장원 교수님, 학교에서 아이들을 지도하면서 제게 많은 도움을 주셨던 소중한 인연의 선생님들, 저를 세상에 있게 해 주신 부모님께 깊은 감사의 인사를 드립니다.

항상 나의 음악 팬이 되어준 언니, 나의 요미, 다미. DG, 오랜 시간 열심히 배우고 있는 나의 제자들,

고맙습니다. 사랑합니다.

작사/작곡 신미선

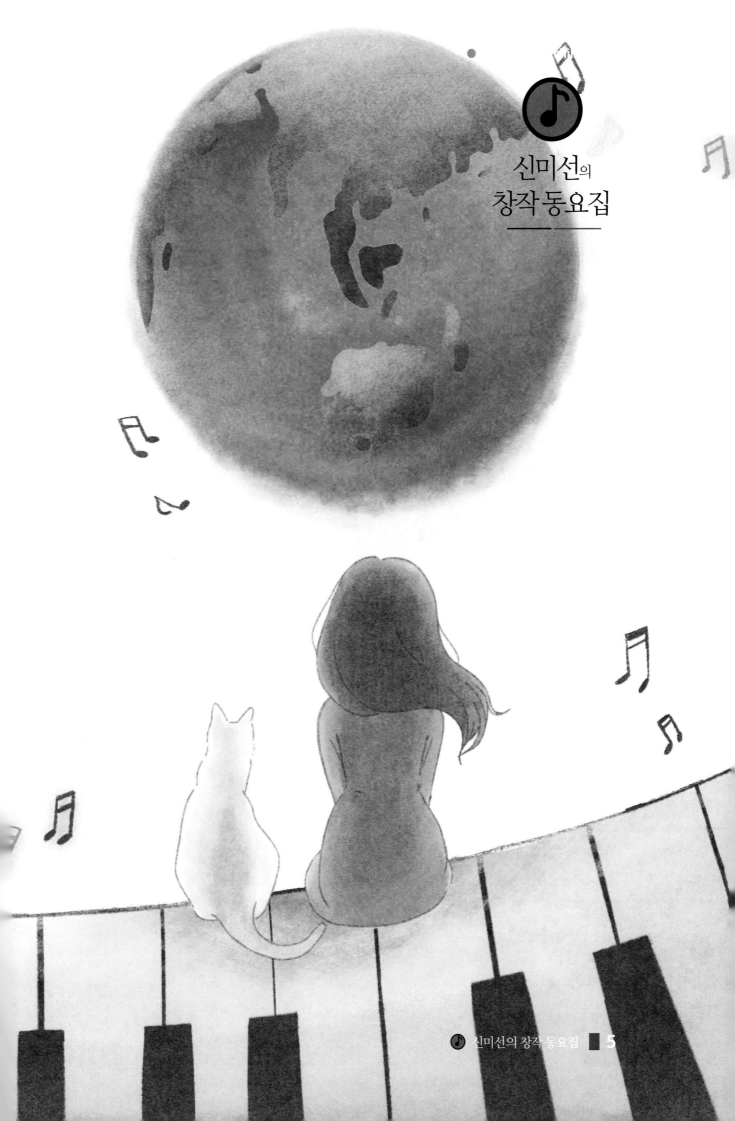

차례

신미선의
창작 동요집

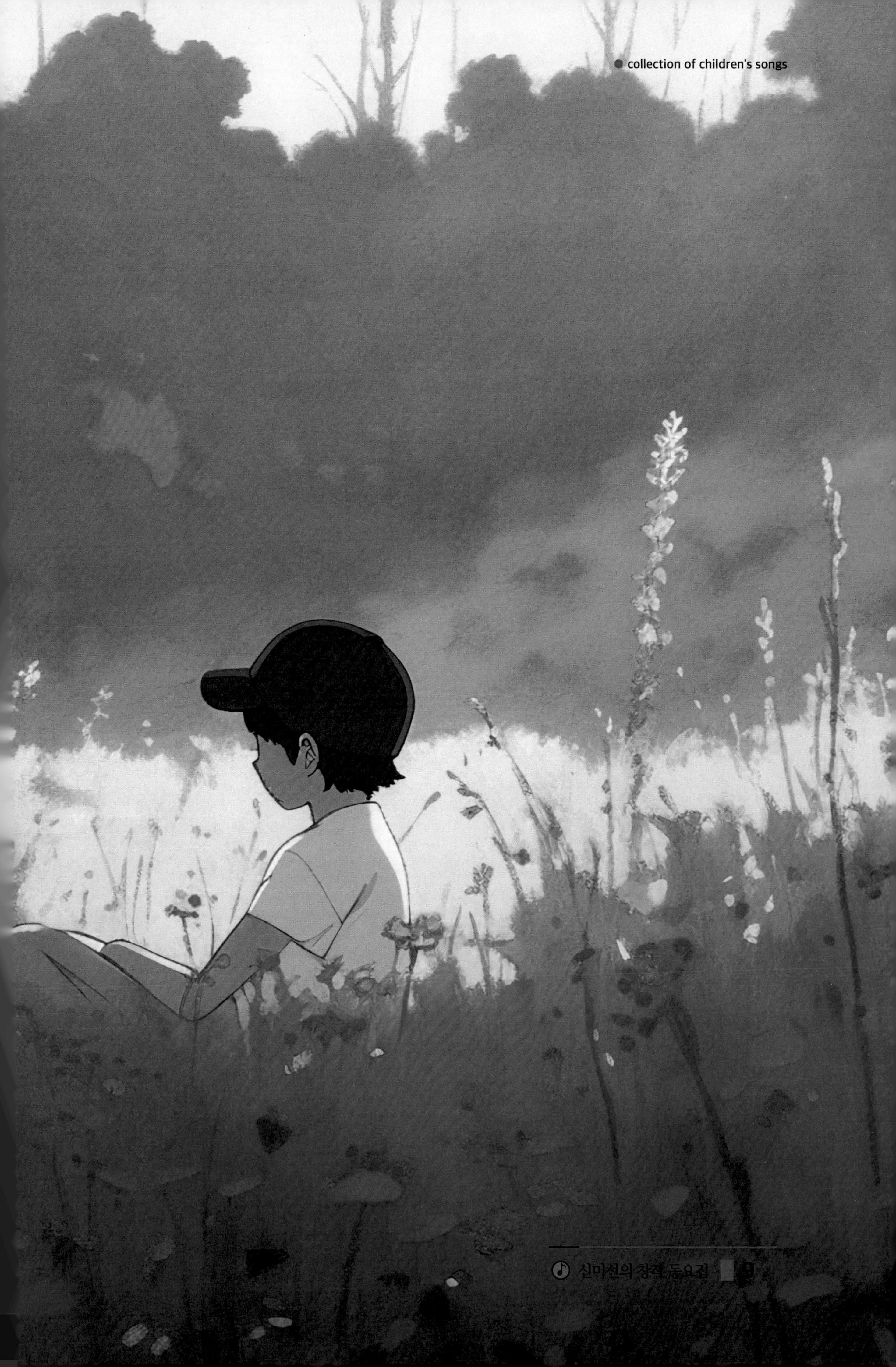

가위바위보

♩=115

가위바위 보   가위바위 보   누가누가이기 나
가위바위 보   가위바위 보   정당하게겨 뤄 요

가위바위 보   가위바위 보   세개중에골 라 요
주먹이가위   가위보자기   보자기바위이 겨

안내면진다   가위바위 보   이겨봐요가위바위 보
같은걸내면   무승부라네   이겨봐요가위바위 보

가을나무

♩=95

Am　E　Am　　E7　Am　　E

푸 르른 하 늘 아 래에　가 을 나무들 이
차 가운 가 을 바 람을　맞 는 가을나 무

Am　　C　E7　Am　E7　　Am　G7

붉은 빛 가을 색 으 로　물 들 어 — 가 네
노 을 빛 가을 색 으 로　물 들 어 — 가 네

C　　Am　　Dm　　E7

한 잎 두 잎 낙 엽 이　지 는 거 리 를　—

Dm　　Am　　Bm　E7　Am

한 참 동 안 가 을 나 무　바 라 보 며 걷 네　—

가족 얼굴

♩=95

엄마얼굴 아빠얼굴 스케치북에
어떤것을 그려볼까 고민하다가

쓱싹쓱싹 그리움으로 채워집니다
쓱싹쓱싹 나도모르게 그린가족들

공휴일

자랑스런나라이 땅 에는 중요한날도많 아
푸른하늘오월오 일은 어린이날신나 요
보름달이밝은추 석은 음력팔월십오 일

일년삼백육십오일중 공휴일은쉬는날
석가모니태어나신날 오월팔일오시네
단군왕검나라세웠네 시월삼일개천절

음력양력일월일일 신정과구정 떡국먹고세배하며설을지내요
나라위해희생하신 유월육일에 감사하는마음으로묵례를해요
위대하신세종대왕 우리한글을 시월구일훈민정음만드셨다네

독립운동외친삼월일일 태극기를드높여봐요
해방의날팔월십오일은 광복절날기쁨누려요
예수태어나신성ㅡ탄절 십이월이십오일이네

구름 솜사탕

신미선의
창작동요집

누가 누가 언제 하늘에 다 구름 솜사탕을 만들었을 까

온세상 사람들 주려고 커다랗게 만든 솜사탕

뭉게뭉게 둥실둥실 뭉게뭉게 두둥실둥실

사다리를 타고 하늘올라가 구름솜사탕 따요

기분 좋은 오후

♩=95

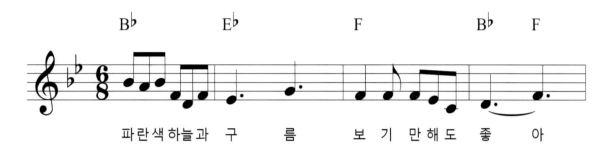

파란색 하늘과 구 름 보 기 만 해도 좋 아

오 후의 하굣길 햇 살 따 스히 내 리 쬐 네

거 리 에 는 재잘—대 는 아 이 들의소 리 —

여 유 가흐르는 거 리 기 분좋은 오후의 날

꿈이 자라네

공 책 열 고 꿈 들 을 ― 적 어 나 가 요

간 절 함 이 어 느 덧 ― 퍼 져 나 가 네

너 의 꿈 을 한 낮 에 는 태 양 이 듣 고

한 밤 에 는 별 빛 들 이 귀 기 울 일 거 야

언 젠가는 모든 세 상 이　듣 게 될거라 네

지 금은온전 히 너의꿈 을　마 음껏꾸 는 시 - 간

기 쁨 들 과 눈물속 - 꿈 이커 지 네

여 린 가 슴 더욱더 - 자 라 나게될거 야

나무들

신미선의 창작동요집

♩=110

C　G　C　G　C　G　F　C

온종일 서 - 있는　나무들은 요　눕지못해 - 다 리　아플것같 아
자기자 리 - 에서　사는나무 들　묵묵하게 - 움 직　이지도않 아

C　G　F　G　C　Dm　G　C

나는잠을 - 누워　편히자는 데　나무들은 - 선채로　잠을자나 요
나는매일 - 왔 다　갔 다하는 데　나무들은 - 그자리　그대로있 네

나에게 날개가

♩=110

어느날 갑자기 나에게 —

예쁜 날개 생긴다면 — 얏호

하 — 늘위 새들과 함께

세 상 저끝까지 날수있겠 네

신미선의
창작동요집

나의 학교

♩ = 75

나의 학교정든 교실 — 매일걷던 이길 —

아쉬움만 남긴 채 이제떠나요 나의

친구들과 함께 — 추억한가 득

잘있어요 추억들 정든나의학교

날씨가 추워서

♩=120

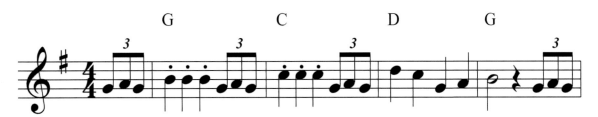

날씨가　추워서바람이　불어서손발이　너무시려요　목도리
날씨가　추워서거리에　사람들집으로　서둘러가요　따뜻한

감고서장갑을　껴고서따뜻히　몸을감싸요
물속에온몸을　녹이고이불을　꼭덮고자요

날아올라

♩=120

폴 짝 뛰어보자 높 이 하 늘 높 이 뛰어 올 라

두 발 모 아 힘 껏 뛰 어 하 늘 날 아 올 라

너에게로 가는 길

놀이공원

♩=110

C   C   F   G

쉬 는 날 에 엄 마 아 빠 손 을 잡 고 서

C   G   C   G

랄 랄 랄 라 신 이 나 는 놀 이 공 원 가

C   C   F   C

뱅 글 뱅 글 돌 아 가 는 놀 이 기 구 를

G   C   G   C

몇 번 이 나 계 속 타 도 아 쉬 움 남 아

눈이 녹는 밤

♩=95

한겨울에 눈이 녹 는 밤   천천히도녹 는 밤

하루종일계 속 내 린 눈   사록사록녹 는 밤

한 낮동안   공 들여서   만 든눈사 람

잠 든아 이   속 상할까 봐   천 천히도 녹는 밤

덩더덕쿵덕

덩 덩 덩 덩더덕쿵덕 리 듬 소 리 맞 춰

어 깨 가 더덩실 덩실 신 이 나 는 구 나

덩 덩 덕 덩더덕쿵덕 마 음 하 나 되 어

덩 덩 덩 덩 덩 덕 쿵 덕 풍 악 을 울 려 보 자

두둥실

♩=115

두 둥 실 — 떠 있 네 — 구 름 조 — 각 뭉 개 구 름

하 늘 위 — 저 꼭 대 기 에 두 둥 실 — 걸 쳐 앉 았 네 —

딸꾹

♩=105

딸 꾹 딸 꾹 쉬 지 않 고 나 오 는 딸 꾹 질

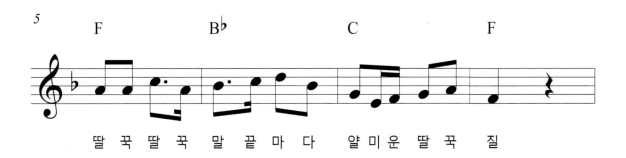

딸 꾹 딸 꾹 말 끝 마 다 얄 미 운 딸 꾹 질

양 치 를 해 봐 도 물 한 잔 마 셔 도

딸 꾹 딸 꾹 쉬 지 않 고 나 오 는 딸 꾹 질

떡국

♩=115

새 해 가 밝 아 온 아 침 에 떡 국 을 먹 어 요

맛 있 는 떡 국 을 먹 으 며 새 해 맞 이 를 해 요

온 가 족 들 모 여 떡 국 — 냠 냠 냠 냠 냠 냠 먹 고 —

떡 국 한 그 릇 에 한 살 먹 고 마 음 도 자 라 요

떡볶이

♩=110

말랑말랑떡볶이가 좋 아 쫀득쫀득 맛있어서 좋 아

매콤달콤떡볶이가 좋 아 친구들과간식으로 좋 아

떡볶이한 입 먹고나 면 송글송글이마에 땀이맺혀

화끈화끈떡볶이가 좋 아 떡볶이는맛있어서 좋 아

뛰 뛰 빵 빵

♩=110

뛰 뛰 뛰 뛰 　 빵 　 빵 　 뛰 뛰 뛰 뛰 　 빵 　 빵

뛰 뛰 뛰 뛰 　 뛰 뛰 빵 빵 　 길 을 비 켜 요

랄랄랄랄라

♩=105

즐 거 운 오 늘 행 복 한 날 　모 두 함 께 인 사 해 요

감 사 한 마 음 가 득 안 고 　힘 차 게 힘 내 자 얍

랄 랄 랄 랄 랄 랄 랄 랄 랄 라 　랄 랄 랄 랄 랄 라 랄 랄 랄 랄 라

맴 맴

♩=115

맴 맴 맴맴　맴 맴 맴맴　매 미 는 하 루 종　일

맴 맴 맴맴　맴 맴 맴맴　쉬 지 않고 우는매 미　들

나 무에기 —대 어　온종일맴 — 맴맴　지 치지도 —않고우　네

맴 맴 맴맴　맴 맴 맴맴　한 여 름매미가우　네

신미선의
창작동요집

무지개색

♩=120

빨 간색은　　열 정에너지　　주 황색은　　가 을의단 풍

노 란색은　　따뜻한햇 빛　　초 록색은　　나 무잎사 귀

시 원한파란　색　　차 분 한마 음남　색

신 비한개성　보 라　색　　무지개색모 였 네

바다의 마음

넓고 깊은바다의 마음은 그끝을알수없 어 하늘

이 흘린눈물받 아서 수평선이루 네

비 는모여 강물로 물결―따라또다 시 함께

바 다되어―흐르 네 넓 고깊은바다 여

발자국

신미선의 창작동요집

♩=110

콕 콕 콕 － 발 자 국 － 누가 누가 남 겼 나

쾅 쾅 쾅 － 발 도 장 － 선 명 히 도 찍 었 네

눈 이 오는 날엔 살 포 시 － 사 박 사 박 남 기 고

비 가 오는 날 엔 철 버 덕 － 첨 벙 첨 벙 남 겨 요

방귀 뿡뿡

♩=115

방 귀 뿡 뿡 방 귀 뿡 뿡 냄 새 나 는 방 귀

방 귀 뿡 뿡 방 귀 뿡 뿡 누 가 방 귀 뀌 나

우 리 집 방 귀 소 리 멈 추 질 않 네

방 귀 뿡 뿡 방 귀 뿡 뿡 방 귀 연 주 소 리

방학

♩=115

기다 리고 — 도　기다린방 — 학　방학이왔 — 습니 다

친구들얼 — 굴　미소한가 — 득　신 나는 — 방학 식

누구 보다　재 미나 게　방학을보 — 낼거 야

기다리고 — 도　기다린방 — 학　방 학이 왔습니 다

번개 번쩍

♩=120

번개 — 번쩍 — 하늘에 빛이 번쩍 —

번개 — 꽝꽝 — 하늘이 화가 났네 —

밤빛

햇 살 이 밝 은 건 — 구 름 이 지 나 — 비
별 들 이 모 인 밤 — 빛 나 는 하 늘 — 서

바 람 내 리 고 그 자 리 에 떠 오
로 를 비 추 며 인 사 하 는 시 간

르 기 때 문 일 거 야 — 긴
이 기 때 문 일 거 야 — 긴

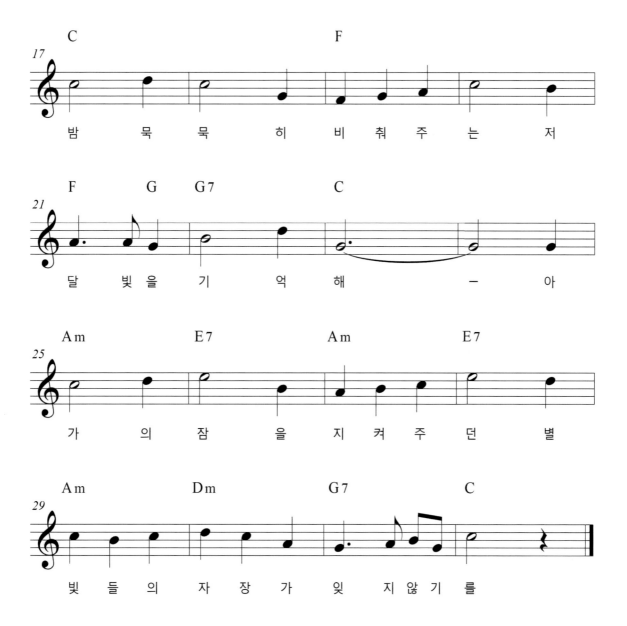

별빛

♩=105

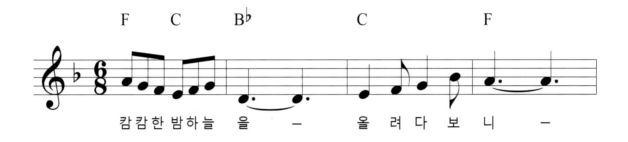

캄캄한 밤하늘을 — 올려다보니 —

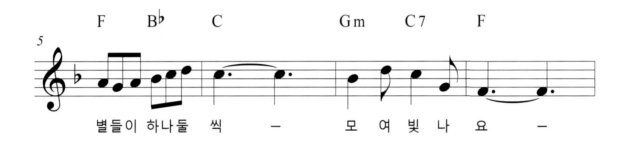

별들이 하나둘씩 — 모여빛나요 —

별들이 총총총 쏟아질것같아 —

모두가 잠든밤하늘 별빛반짝이네 —

봄날의 왈츠

♩=100

푸 릇 푸 릇 새 싹 이 자 라 났 어 요

활 짝 피 운 봄 꽃 들 이 미 소 지 어 요

짹 짹 짹 짹 참 새 들 도 노 래 불 러 요

우 리 모 두 기 다 려 온 봄 이 왔 어 - 요

불꽃놀이

♩=130

하늘에서 불꽃 축제 열렸네

이 리 저 리 춤 을 추 는 불 꽃 들

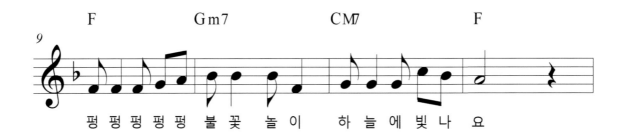

펑 펑 펑 펑 펑 불꽃 놀이 하늘에 빛나 요

펑 펑 펑 펑 펑 피 어 난 신 나 는 불 꽃 들

비가 내려요

♩ = 110

토 독 토 독 내 방 창 문 으 로 똑 똑 똑 똑 노 크 하 네 요
토 독 토 독 빗 방 울 이 토 독 뚝 뚝 뚝 뚝 떨 어 지 네 요

누 구 세 요 불 러 봤 더 니 대 답 은 없 고 비 가 내 려 요
구 름 들 이 찡 그 리 더 니 하 늘 아 래 로 비 를 뿌 려 요

뻐꾹

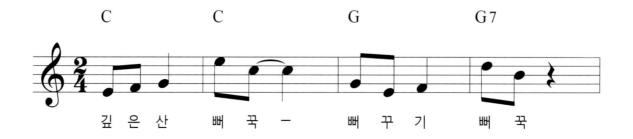

깊은산 뻐꾹 — 뻐꾸기 뻐꾹

울음소리 퍼 져요 뻐 꾹 뻐꾹

온종일 뻐꾹 — 노래를 뻐꾹

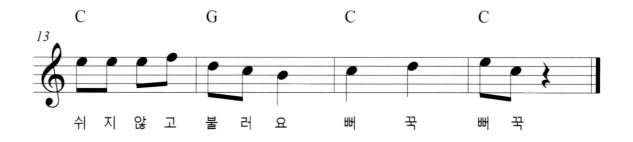

쉬지않고 불러요 뻐 꾹 뻐꾹

삐약삐약 병아리

♩=115

병아리모여 삐 약삐 약 엄마를찾고요

우리들모여 삐 약삐 약 병아리돌봐요

삐약삐약삐 약 병아리울면 엉엉엉엉엉 엉 우리들우네

병아리닮은 우리들을 선생님이부르시네

세상에는

♩=100

세 상에는 내가 좋아 하 는 것　셀 수없이너무나도 많 지 요
세 상에는 내가하고 싶 은 것　하루하루너무나도 많 지 요

어 른 되 서 좋은것들　다 합 쳐 보 면　세 상 가득 많아지겠 네
보 고 듣 고 생각하고　느 끼 는 시 간　내 꿈들은 자라납니 다

소풍 가는 날

♩=120

소 풍 가 는 날　　긴 밤 내 내 설 레 어

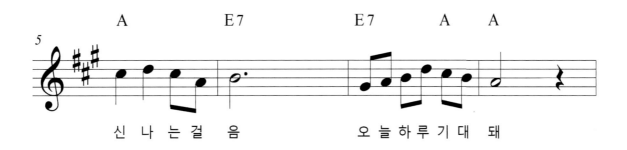

신 나 는 걸 음　　오 늘 하 루 기 대 돼

친 구 들 과 오 손 도 손　즐 거 운 시 간 들

소 풍 가 는 날　　신 이 납 니 — 다

스승의 마음

♩=95

우리 함 께 처음만나서 헤어짐까 지 우리

에 게 주어진시간 소중함뿐이 네

이 다음에 좋 은어른 훌륭히자라 서

세 상의빛이되 어 환히밝혀주 렴

신호등

♩=105

신 호 등 깜 빡 깜 빡 바 껴   색 깔 로 알 려 줘 요 —

신 호 등 깜 빡 깜 빡 모 두   지 키 면 안 전 해 져 요

씽씽 달려

♩=120

달려 달려 달려라씽씽 달려 달려 힘차게

달려 달려 바람을갈라 세상 끝까지 달려라 —

아름다운 노래

♩=110

아름다운 노래 소 리　　온 세상에 퍼 지 네

노래하고 싶 은 사 　 람　　하나 둘씩 모 여 요

한 마 음 으로 부 르 네　　마 음의 노래 해

천사 들 이 듣 고　내려오겠 네　아 름 다 운 노 래

아이고 시끄러워

♩=110

우리 ― 집 강아지가 멍 멍 멍 멍 멍   옆 집 ― 에 못질소리 쾅 쾅 쾅 쾅 쾅

윗집 ― 에 우는아기 앙 앙 앙 앙 앙   아 이 ― 고 시 끄 러 워 공 부 가 안 돼

아이스크림

♩=105

아이스크 림   아이스크 림   얼음꽁꽁－아이시원 해

여름이오 면   너무더워 서   아이스크림오늘도 먹 어 요

아 삭아 삭   사르르르 록   입 에서 녹 아 요

아 쉬 워 서   자꾸자 꾸   먹 고－싶 어－요

안녕 내 친구

♩=90

안 녕 내 친 구 여 소 중 한 내 친 구 이 제
잘 가 요 내 친 구 둘 도 없 던 친 구 이 제

는 다 시 볼 수 없 어 눈 물 이 흘 러
는 헤 어 져 야 하 네 가 슴 이 아 파

빠 르 게 지 나 버 린 우 리 시 간 들 잘 가
언 제 나 내 곁 에 서 힘 이 되 주 던 친 구

요 내 친 구 다 음 에 다 시 만 나 요
가 떠 나 네 고 마 웠 어 요 내 친 구

야옹이 인사

♩=100

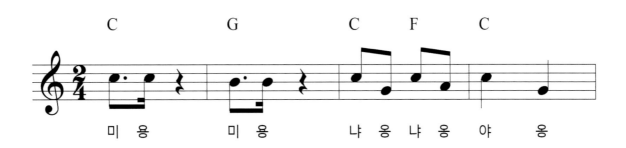

미 용 미 용 냐 옹 냐 옹 야 옹

살 금 살 금 다 가 와 얼 굴 부 벼 요

미 용 미 용 냐 옹 냐 옹 야 옹

도 도 하 게 세 수 — 하 고 인 사 하 지 요

신미선의
창작동요집

어린 날개

♩=105

F   C   F   C

높 고 높 은 하 늘 을 날 기 위 해
여 리 고 도 가 냘 픈 어 린 날 개

F   B♭   C   F

몇 번 이 고 날 개 를 펼 쳐 보 네
몇 번 이 고 날 개 짓 연 습 하 네

C   F   B♭   C

눈 보 라 치 는 바 람 맞 고 서 건 너 왔 을 바 다
비 바 람 치 는 추 위 견 디 며 건 너 왔 을 바 다

F   C7   Gm   C7   F

어 린 새 가 힘 차 게 날 개 짓 하 네
어 린 새 가 하 늘 을 날 아 오 르 네

어린이

♩=105

| G | C | G | D | G | D |

싱그러운봄 날의 꽃 잎닮 은 사 랑스런 어린 이

| G | C | G | C | D | G |

내 리쬐는 여 름의 태 양닮 은 활 기넘치 는어린 이

| D | G | C | G |

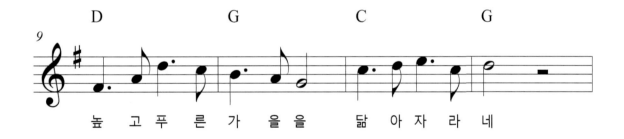

높 고푸 른 가 을 을 닮 아자 라 네

| G | C | D | G |

한겨 울의투 명한 흰 눈닮 은 티 없이 맑 은어린 이

언제나 너는

♩=100

언제나너는 밝은햇살 아침을닮은너 는

언제나너는 별처럼빛나 소중한 너이기 에

언제나널 – 늘응원해 – 언제나 널사 랑 해

언제나너는 행복하기를 네편이되어줄 게

얼음 나라

♩=115

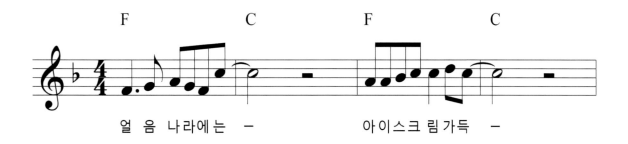

얼 음 나라에는 —　　아이스크 림 가득 —

얼 음 놀이동 산 —　　신 나는 미끄럼틀 — 스 키

타 고 서 달 려 요　쌩 쌩 달 려가 요

썰 매 도 타 고　얼 음 부자 나 라

신미선의
창작동요집

엄마 어렸을 적에

♩=110

Am / E / Am / E
엄 마어렸을적 에   나 랑똑같다고 해

Am / E / Am E7 / Am
엄 마 는항상어 른   못 하 는일없지 요

Dm / Am / Bm / E7
엄 마 가   어 린 이   나 는상상안 돼

Am / E / Am E7 / Am
어 린 엄마만나 면   나 와친구 할거 야

엉덩이 댄스

♩ = 130

엉덩이흔들어요 씰 룩 훌라훌라훌 라 호

신 나게 엉덩이를 씰 룩 훌라훌라 훌 라 호

손 위 로 들 고 훌라훌라호 친 구 들 보 며 훌 라 호

다 같 이 엉덩이를 힘 차 게 훌 라 호 훌라훌라 호

여름이 좋아

♩=120

푸르른 녹음과 찬란한 햇살 여름이 참 좋아요

여름 방학 오면 가족들과 함께 여행 떠나요

신 나는 물놀이로 무 더위를 잊어요

가족들과 함께 수박도 먹고 활기찬 여름 좋아요

오늘따라

♩=105

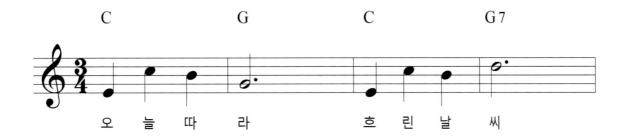

오 늘 따 라 흐 린 날 씨

하 늘 에 먹 구 름 가 득 하 네

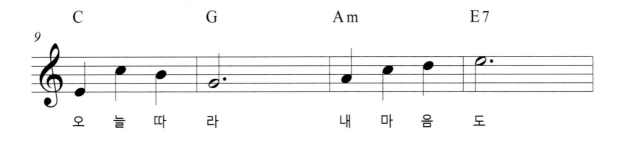

오 늘 따 라 내 마 음 도

흐 린 날 씨 를 닮 았 네

외계인

♩=120

손 가락 이네개이고 요 (네 개 네 개) 머 리머리정말크고 요 (머리크고)
머 리머 리대머리고 요 (대 머 리 야) 눈 이눈이정말크고 요 (왕눈이야)

비 행접 시 타고와 서 피 융피융날 다 어느샌가 사 라졌 네

우리가 서로를

♩=100

우 리 가 서 로 를 아 껴 준 다 면   아 픔 은 사 라 질 텐 데
우 리 가 서 로 를 사 랑 한 다 면   더 없 이 행 복 할 텐 데

우 리 모 두 다 좋 은 세 상   함 께 만 들 어 가 요

우리 동네

♩=105

정 답 게 인 사 하 는 동 네 이 웃 들

빵 굽 는 좋 은 냄 새 향 긋 한 꽃 집

사 거 리 시 장 에 음 식 들 이 가 득

참 좋 은 우 리 동 네 살 기 가 좋 아 요

우리들 세상

♩=115

깔 깔 깔 와 장 창 시 끌 벅 적 ─ 오 늘 도 우 당 탕 탕

우 리 들 하 루 가 시 작 됐 네 ─ 신 나 는 우 리 들 세 상

우 리 들 만 아 는 비 밀 기 지 에 우 리 들 놀 이 로 가 득

우 리 들 만 나 면 우 리 들 세 상 우 리 세 상 이 라 네

우리들은

♩=90

우 리 들 은   이 땅 의 미 래 세 상 의 빛 과 소   금

우 리 들 은   무 한 한 가 능 성 자 라 나 는 희   망

어 깨 를 펴 고 고 개 를 들 고 별 을 바 라 보 면 서

머 나 먼 여 정 우 리 가 는 길   희 망 의 노 래 해

우리 별 지구

=110

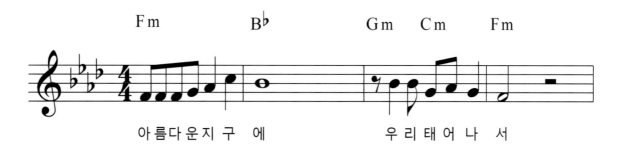

아름다운지구 에   우리태어나 서

생명의꽃피우 고   함께살아가 는

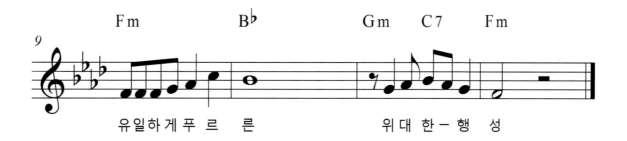

유일하게푸르 른   위대 한 ― 행 성

우리집 강아지

♩=100

우리집 예쁜 강아지 홀로 집에 있네

아무도 없는 텅빈집을 지키고 있네 —

서 둘 — 러 서 집에 — 가 서 꼭안아 줄 거 야 —

월드컵 송

음악실

인사해요

♩=110

우 리 인 사 해 요 다 함 께

눈 을 마 주 보 면 서 함 께

인 사 하 며 이 름 불 러 요

우 리 만 나 서 반 갑 습 니 다

작은 손

♩=105

작은손 아이손 고사리닮은손

작은손 여린손 천사를닮은손

봄꽃활짝필적에 한손풍선을들고 길

해매일까엄마손 꼭붙잡고갑니다

점프

♩=120

점프 점프 뛰어뛰어점프 점프 점프 높이높이 뛰어

점프 점프 누가높이 뛰나 점프 점프 모두다뛰 어

저하 늘높 이 점 프 해 하나둘셋뛰 어 봐

점프 점프 뛰어봐점프 점프 점프 다같이점프

종이배

종이—배접어서 시냇물—위에 동동—동 띄워보 자

종이—배뒤따라 물고기—떼가 졸졸—졸 따라가 네

흐르는시냇물 따 라 서 내마음도함께 흘러가 네

종이—배동동동 바위를—지나 물결—따라흐르 네

째깍째깍

♩=110

째깍째깍 시간은 앞으로 째깍째깍 나아갑니다

째깍째깍 우리도같이 째깍째깍 나아갑니다

찌르렁 찌르렁

♩ = 100

시 원 한 바 람 가 을 이 왔 네 찌 르 렁 찌 르 렁 소 리

가 는 곳 마 – 다 연 – 주 소 리 귀 뚜 라 미 음 악 회 –

찌 르 렁 찌 르 렁 찌 르 렁 – 찌 르 렁 늦 은 밤 될 때 까 지 –

찌 르 렁 찌 르 렁 가 을 밤 소 리 기 분 이 좋 아 –

참새 노래

참새가 한 마리 앉았습니다 짹짹짹짹 노래 해
참새가 노래를 시작합니다 짹짹짹짹 시작 해

노랫소리 듣고 친구가 왔 네 참새 두 마리 함 께
참새가 부르는 노랫소리 에 나도 따라 부르 네

짹짹짹짹짹짹짹짹 짹짹짹짹짹짹짹짹 참새둘이 정답 게 노래불러 요
짹짹짹짹짹짹짹짹 짹짹짹짹짹짹짹짹 참새와하 나되 어 노래불러 요

쿵짝짝

♩=110

쿵 짝 짝 나 무 들 은 푸른 색상 옷을 입 고

쿵 짝 짝 알록 달 록 활짝 피운 봄꽃 모 여

봄 의 햇살 바람 결 따 라 왈 츠 춤을 추 네

쿵 짝 짝 나 비 들 도 날개 춤을 함께 춰 요

키다리 아저씨

나는야 키가 클거야 —
키다리 아저씨얼굴 —

키다리 아저씨처럼 —
고개를 들어봐야해 —

길게뻗은 멋진두다리 —
두다리가 너무길어서 —

발걸음도 폼이납니다 —
한참올려 바라봐야해 —

태극기 노래

신미선의 창작 동요집

♩=115

사 계 절 푸 르 른　　　　드 높 은 하 늘 에
하 늘 땅 물 과 불　　　　조 화 를 이 루 는

태 극 기 휘 날 려　　　　빛 나 는 태 극 기
우 리 는 한 민 족　　　　빛 나 는 태 극 기

하늘을 보다가

♩=105

어 느 날 밤 에 문 뜩 하 늘 을 보 다 가

잠 이 다 달 아 났 어 요 하 늘 을 보 다 가

어 두 운 밤 밝 은 달 은 잠 도 없 는 걸 까

아 침 이 다 가 오 네 하 늘 을 보 다 가

하얀 아침

♩=110

밤 새 도 록 눈 이 소 복 소 복 왔 네

하 얀 아 침 이 에 요 —

뽀 득 뽀 득 눈 길 새 발 자 국 내 며

계 속 걷 고 싶 어 요 —

차 들은 엉 금 엉 금 기 어 가 고 요

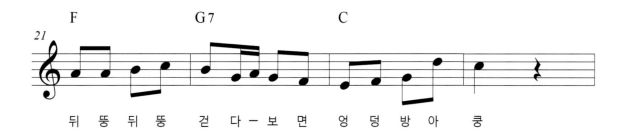

뒤 뚱 뒤 뚱 걷 다 — 보 면 엉 덩 방 아 쿵

펑 펑 펑 펑 눈 이 계 속 내 려 서

밤 새 눈 나 라 됐 네 —

한발 뛰기

♩=110

오른발 들고 깽 깽 깽   왼 — 발 들고 깽 깽 깽

한쪽 발 들고   중심을 잡 고   한발 뛰기 깽 깽 이

할망구 영감님

♩=115

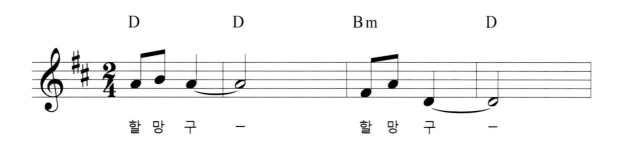

할망구 — 할망구 —

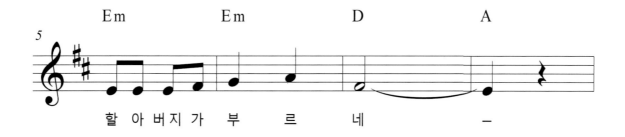

할아버지가 부 르 네 —

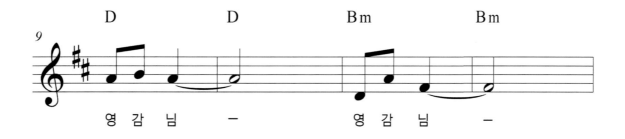

영감님 — 영감님 —

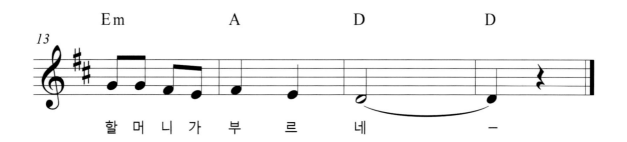

할머니가 부 르 네 —

해 질 녘

♩=100

집으로 가는길에 — 문뜩 하늘을바라 보 네

노을이 뉘엿뉘엿 — 붉게 지는저녁 찾 아 오 네

모두들 집에가면 — 해도 저 달 빛 뒤로간다 네

햇살이

♩=105

햇 살 이 비 춰　　물 위 에 서

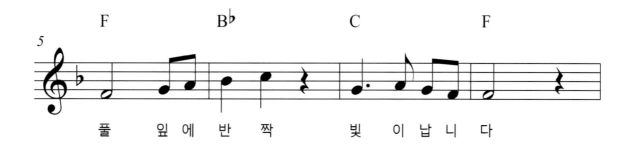

풀 잎 에 반 짝　　빛 이 납 니 다

하 얀 빛 햇 살 이 참 고 와 요

헤어짐의 노래

신미선의 창작동요집

♩=90

꽃향기 가득했던 푸르른그어느봄날

우리처음만난 날 기억 하면서인사해요

우리가함께 웃고울던날들 소중했던기억들

이제헤어졌으니 다시웃으며또만나요

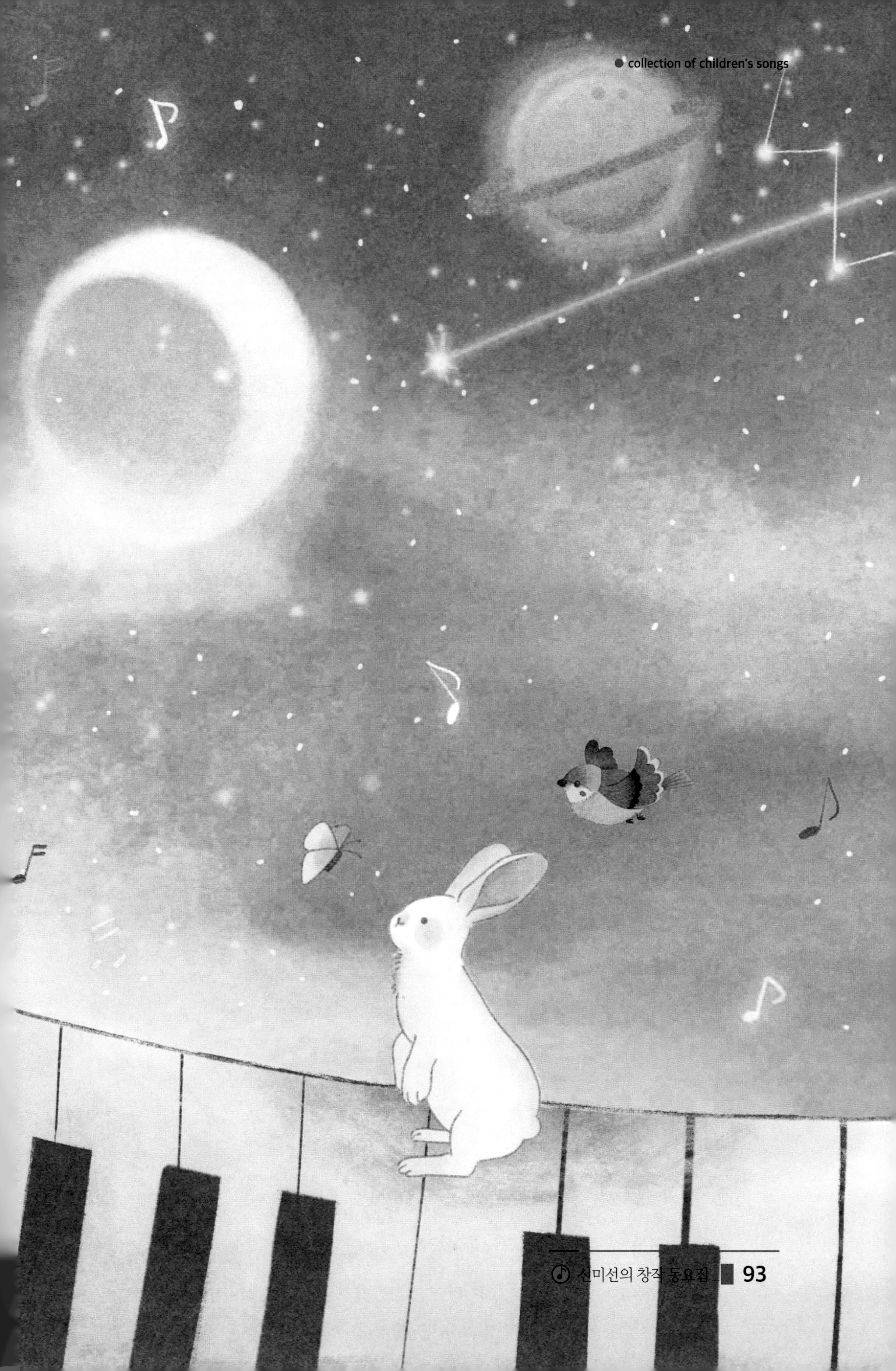

신미선의
창작 동요집

저자: 신미선

SJA실용전문학교 정규과정 졸업
여주대학교 음악학과 전문학사 졸업
수도국제대학원대학교 음악학과 학사 졸업
수도국제대학원대학교 음악학과 석사 졸업
초. 중등 음악 분야 예술 강사
현: 수도국제대학원대학교 음악학과 출강

논문: 「재즈 음악 기법에 관한 연구」
홈페이지: https://www.youtube.com/@shinmimusic
E-mail: shinmimusic@naver.com